小兔汤姆
成长的烦恼图画书
心理自助读物

汤姆做国王饼

[法]玛丽-阿利娜·巴文／图　　[法]伊丽莎白·德·朗比伊／文　　梅　莉／译

海燕出版社

　　过完圣诞节，回到幼儿园，我见到了小伙伴们。大家都在说自己在圣诞节收到的礼物。我告诉雨果我收到了一辆大轮子的自行车，而他只收到了三辆玩具跑车……

这时，老师走进来告诉我们一会儿要做吃国王饼的游戏。

嗯，国王饼真香啊！我们都跑过去要拿自己的那份。可是，老师制止了我们："别着急拿！玛丽，你是班里最小的，请你站到那边，当我问你这块给谁时，你就说出一个小朋友的名字，好不好？"

5

"老师，玛丽弄错了。
她叫了三次雨果。"

我小声地对玛丽说："如果
你再不叫我的名字，你就不再是
我的朋友了……"

每人一份，就等玛丽了。

佐艾看起来一点都不急着吃。真奇怪，她说她不喜欢吃国王饼。

谁会吃到蚕豆呢？

我着急地掀开饼看看有没有蚕豆。

维克多慢慢地嚼着，生怕把蚕豆吞下去。

艾米丽左看右看，不知道从哪里下口吃。

蚕豆会不会在佐艾的饼里呢？

克雷蒙都已经吃完了。

"我吃到蚕豆了！"富兰尔兴奋地叫起来。

太棒了！全班为富兰尔鼓掌！

雨果也吃到了一颗蚕豆。

同时，克雷蒙在佐艾的饼里也找到了一颗蚕豆。

凡是吃到蚕豆的人，都可以选择自己的国王或者王后。
可富兰尔居然选雷奥当国王……我以后再也不邀请她
到我们家玩了！

雨果选了玛蒂尔当王后，他们都戴上了皇冠。
玛丽还给他们行鞠躬礼呢。

放学了，妈妈来接我，她问我怎么了，为什么不
高兴？这还用问，我没有当上国王呗！

　　妈妈有个好主意："星期六，咱们在家里做国王饼，咱们家也有蚕豆。"我告诉她，我已经做好了皇冠！

星期六早上，我要给伊娜做一个皇冠。

"你愿意让我帮助你装饰皇冠吗？"伊娜问我。
"好啊。"

"哈哈，太大了！"

我们找爸爸帮忙，他总是能找到解决问题的好办法。

我们在厨房里做国王饼。"伊娜，拿开你的手！"
我把搅拌好的配料倒在面饼上。

接着，是用勺子把配料均匀地铺在面饼上。最重要的是，要放蚕豆了……

"瞧，放一个蚕豆汽车吧！"

"不，放一个蚕豆公主！"伊娜大声说。
爸爸同意了。

17

这不公平。

每次都是这样，伊娜一任性，
爸爸就让步……

可我还是想放那个蚕豆汽车。

也许我可以悄悄地放进去，那样，我当国王的可能性就更大了……

趁没人注意，我塞了进去……

当爸爸回来的时候，我们做好了第二张面饼，把它像锅盖似的盖在第一张面饼上，然后，放进烤箱里。

国王饼鼓起来，金黄金黄的。屋子里满满的都是香味。妈妈拍着手说："真香啊，咱们可以美餐一顿了！"

分饼的时候，我们采用幼儿园的方法，让伊娜叫名字，当然，她肯定是先叫她自己的名字。

几乎是同时，我和爸爸一起喊起来："我吃到蚕豆了！"

妈妈很惊奇，爸爸也吃惊地看着我。

我大笑起来，解释说："里面有两颗蚕豆……"

这下子，要选两个王后了。妈妈和伊娜都很高兴。有两颗蚕豆，是不是更好呢？

国王饼的做法

想要做出美味的国王饼吗？跟着我一起开始吧！

材料：

120 克杏仁粉   3 个鸡蛋

80 克白糖   2 个和好的面团

60 克黄油   1 个鸡蛋黄（用于涂抹在国王饼的表面）

2 包香草糖

做法：

- 请把烤箱预热到 210℃。
- 先把黄油软化，再放入白糖、香草糖、鸡蛋和杏仁粉，搅拌均匀。
- 将 1 个面团擀成圆饼放进面饼模子里。
- 小心地在面饼上铺上搅拌好的配料，然后放入蚕豆（最好放在饼边上），再放上擀好的第二张面饼，将两张面饼的边按紧。
- 用刷子在面饼上涂上一层蛋黄液，再用叉子在上面画上漂亮的装饰花纹，但要注意不要过于用力哦！
- 现在，只需将国王饼放进预热好的烤箱，烘烤 25 分钟。一张香喷喷的国王饼就可以出炉了。

知识小链接：

国王饼，又称三王来朝节饼，是法国的传统节日食品，就像我国元宵节吃的汤圆、端午节包的粽子一样。